polizón

por Elizabeth Carter

ilustrado por Ashleigh Hancock

Harcourt

Orlando   Boston   Dallas   Chicago   San Diego

Visita *The Learning Site*

www.harcourtschool.com

La vida de la familia Albright era muy difícil en 1892. A pesar de lo mucho que trabajaban, sus campos en Irlanda no eran muy productivos. El invierno había sido muy frío, y el verano anterior apenas había llovido. Una tarde, William, de diez años, estaba ayudando a sus padres a recoger unas verduras. A juzgar por el aspecto que tenían las huertas, los Albright apenas tendrían comida suficiente para esa semana.

—William —le dijo su padre—, ¿por qué no van al lago tú y Mattie, y tratan de pescar uno o dos pescados para comer con estas verduras?

—Sí, papá —contestó William.

Ante la mirada de sus padres, William y su perra se marcharon al lago. Cualquier extraño que los hubiera visto pensaría que nada les preocupaba en este mundo: un niño y su perra que se van de pesca al lago. Pero ningún extraño podría imaginarse lo importante que era que regresaran con algún pescado. Sus padres sí eran conscientes de ello.

En el momento en que William se alejó lo suficiente, su padre le tomó la mano a su madre. Mirándola a los ojos le dijo:

—Shannon, vámonos de este país en busca de una vida mejor. Esta tierra ya nos ha dado todo lo que tiene; es hora de seguir adelante. Tengo ahorrado algún dinero del que nos dio el señor Carroll por el ganado. Hay bastante para que todos nos marchemos de estos campos y tomemos rumbo a Estados Unidos.

La señora Albright se dio la vuelta, pero el señor Albright siguió tratando de convencerla.

—Viviríamos mejor, y creo que William tendría más oportunidades. Aquí apenas logramos sobrevivir. Podemos ir al asentamiento irlandés que hay en Boston. El barco zarpa dentro de cinco semanas. ¿Qué te parece?

—¿Y qué pasará con nuestros campos, Cody? ¿Quién los cuidará? —se lamentó la señora Albright.

—Ya he hablado sobre eso con tu hermano. Él se encargará de todo en nuestra ausencia. A lo mejor incluso vende los terrenos más adelante y, si nos van bien las cosas, acude a nuestra nueva casa al otro lado del ancho mar —dijo el señor Albright.

La familia Albright estuvo todo el mes siguiente haciendo los preparativos para salir de Irlanda. Se despidieron de sus amigos, y dejaron el asunto de la huerta bien organizado. Cinco semanas después, por la mañana temprano, la familia Albright se presentó en el muelle número 3 con su equipaje y con su perra Mattie. En el muelle esperaron con ansiedad subir a bordo. Los Albright abordaron el barco junto con el resto del pasaje. Se dirigieron a su camarote con cuidado de no golpearse la cabeza con las vigas bajas.

Las horas siguientes le resultaron muy emocionantes a William.

Habían acudido a despedirlos varios de sus primos y tíos. Desde cubierta, William les dijo adiós con la mano, y el barco fue alejándose del muelle. Pasaron un rato observando los marineros, que trabajaban con las jarcias y los pesados baos que sostenían las velas.

Tras unas cuantas horas, William comenzó a aburrirse. Quería encontrar algo que hacer. Le preguntó a un marinero:

—¿Puedo echarles una mano con algo?

—¿Sabes recoger y plegar las velas, jovencito? —le preguntó.

—Bueno, no, no... La verdad es que no sabría ni por dónde comenzar.

—Es un poco peligroso. Cuando viene una tormenta hay que recoger y plegar las velas a los mástiles. Estaba bromeando cuando te pregunté si sabías hacerlo. Seguro que a tu madre no le parecerá bien que hagas cosas peligrosas —le explicó el marinero.

—A lo mejor te buscamos alguna tarea más sencilla por aquí; así no te aburrirás. ¿Por qué no enrollas esas cuerdas de ahí? Por el momento, puedes ponerlas debajo de las escaleras bajo cubierta.

—¡Gracias! —dijo William encantado de tener algo que hacer.

Enrolló las cuerdas y se sintió muy útil, casi como un auténtico marinero.

Bajando las cuerdas por la escalera observó algo extraño. Con la oscuridad, parecía un montón de frazadas en una esquina al otro extremo debajo de las escaleras. ¡Le pareció que se movía!

Decidió recoger las frazadas y averiguar dónde debía colocarlas. Además, necesitaba hacer espacio para dejar las cuerdas.

Levantó un par de frazadas, y ahí, acurrucada, encontró a una niña. Tenía más o menos su misma edad, y parecía estar muerta de miedo.

—¿Tú quién eres? ¿Qué haces aquí? —preguntó William.

—¡No grites, por favor! —dijo la niña—. Por favor, no me delates, ¡te lo suplico! Estoy aquí escondida porque no tengo dinero para pagar un viaje al otro lado del mar, pero necesito reunirme con mis padres en Estados Unidos.

—¿Cuánto tiempo llevas aquí escondida entre estas frazadas? —preguntó William.

—Llevo aquí escondida a oscuras desde ayer por la noche. Anduve merodeando por el muelle hasta encontrar el momento de subir a bordo. Y desde entonces estoy aquí. Todavía no me ha descubierto nadie, más que tú, claro.

—Bueno, tampoco puedes quedarte aquí todo el viaje entero. Hace demasiado frío. ¿Y qué vas a comer?

—A lo mejor puedes traerme algo de comida... —dijo ella tímidamente.

Mientras William conversaba con la niña, sus padres hablaban con el capitán del barco. Platicaban sobre las maravillosas oportunidades que les aguardaban en Estados Unidos, y sobre los enormes terrenos que allá había esperando a que alguien los reclamara.

—Bueno, al menos eso he oído —dijo el señor Albright—. Seré el primero en la fila para recoger las escrituras de los terrenos donde asentarnos. ¿Te imaginas, Shannon? ¡Será maravilloso!

La señora Albright asintió.

—Me muero por llegar a... ¡Pero William!, ¿quién es ésa? —dijo asombrada la señora Albright.

William y la niña se acercaron a los adultos.

—Es una nueva amiga mía. La encontré debajo de las escaleras —le explicó William a sus padres.

Dirigiéndose al capitán dijo:

—Señor capitán, mi amiga dice que puede trabajar en el barco y ayudarlo a llegar a Estados Unidos. No tiene dinero, pero está dispuesta a colaborar como sea. Su familia está ya en Estados Unidos, y no quiere regresar a Irlanda —dijo William.

—Está bien —dijo el capitán—. Viajar de polizón es una falta grave, pero supongo que no puedo lanzarte al vasto mar fuera de borda, ahora que ya hemos zarpado. Me imagino que te encontraré algún trabajo por aquí para que pagues por el viaje.

—Gracias, señor. Le prometo que no le causaré ningún problema —dijo la niña.

—¿Cómo te llamas, pequeña? —preguntó la señora Albright—. ¿Dónde están tus padres? ¿Saben que estás aquí?

—Me llamo Colleen, señora. Mis padres están ya en Estados Unidos. Me dijeron que en cuanto pudieran me mandarían dinero para reunirme con ellos. Yo estaba viviendo con mi abuela, pero se enfermó y ahora está en el hospital. Oí en el hospital que pensaban llevarme a un orfanato, pero yo sé que mis padres quieren que viva con ellos.

—Bueno —dijo el capitán—, ¿tienes la dirección de tus padres?

—¡Ajá, Boston, Massachusetts! Estás de
suerte. Precisamente, ahí es para donde
vamos —exclamó el capitán—. Avisaremos a
tus padres en cuanto atraquemos. Pero ahora,
seguro que tienes hambre, y ya casi es hora
de cenar. Come algo primero, y luego te bus-
caremos dónde dormir. De trabajo ya
hablaremos mañana.

William y Colleen sonrieron. Su desconoci-
do futuro en Estados Unidos ya no les daba
tanto miedo, ahora que ambos contaban con
un nuevo amigo.